Pour

BERNARD

mon

pote et

MENTOR

Prof. EXTRA etc

CHARLES

MUSÉE MARMOTTAN

MONET ET SES AMIS

LE LEGS MICHEL MONET

LA DONATION DONOP DE MONCHY

PARIS 1971

CLAUDE MONET, photographie Nadar, 1901

HOMMAGE AU DONATEUR MICHEL MONET

C'est le 3 février 1966 que l'on apprenait que Michel Jacques Monet, fils de Claude Monet, seul survivant des enfants de l'illustre peintre, venait de trouver la mort dans un accident d'automobile près du pont de Vernon dans l'Eure. Il revenait de Giverny où pieusement et fidèlement il était allé fleurir la tombe de ses parents et de sa femme Gaby, née Gabrielle Bonaventure.

L'ouverture de son testament révélait que le défunt, sans postérité, léguait à l'Académie des Beaux-Arts de l'Institut de France, non seulement le merveilleux domaine de Giverny (que Claude Monet a éternisé par tant de chefs-d'œuvre inspirés par son « Jardin d'eau » et l'étang des Nymphéas), mais également, la très importante collection d'œuvres de son père et de ses amis impressionnistes qu'il avait réussi à conserver dans la maison familiale de Giverny et chez lui, dans son vaste ermitage – musée de Sorel-Moussel, près de Dreux, dans l'Eure-et-Loir.

Le testament précisait que notre Musée Marmottan, fondation de l'Académie des Beaux-Arts, devenait désormais le gardien de ce magnifique ensemble de peintures, aquarelles, pastels, dessins et carnets de croquis, trésor dont l'existence n'était connue que d'un très petit nombre d'intimes.

Michel Monet était le fils cadet du peintre et de Camille, née Doncieux, épousée en juin 1870. Sa mère déjà malade au moment de sa naissance en 1878, devait mourir alors qu'il n'avait que dix-huit mois. Il fut élevé par Madame Hoschedé, née Alice Raingo, qui plus tard en 1892, devenait officiellement sa belle-mère, lorsque Claude Monet l'épousa en secondes noces.

Il grandit avec son frère aîné Jean Monet et les cinq enfants Hoschedé, dont surtout Jean-Pierre, de quelques mois plus âgé que lui.

Parmi les portraits de ses enfants peints par Claude Monet, plusieurs ne quittèrent jamais sa collection personnelle. Ils figurent à la présente exposition.

Claude Monet qui savait par expérience et sans doute mieux que quiconque, combien le métier de peintre est dur, surtout si l'on a le malheur de vouloir peindre autrement que les autres, n'avait jamais encouragé son fils à suivre son exemple, car la peinture disait-il «est un métier de chien».

Et pourtant, après le décès de son père en 1926, Michel Monet détenteur du droit moral sur l'œuvre d'un peintre ayant atteint la célébrité et très coté sur le marché des tableaux, put se permettre de vivre largement et financer ses fréquents voyages et chasses en Afrique, au cœur du continent noir.

D'après ceux qui l'ont bien connu, c'était un sportif aimant l'aventure, parlant couramment l'anglais, lisant tous les livres de voyages, se plaisant à raconter ses chasses à «l'éléphant» et à projeter des films pris par lui-même, entre 1927 et 1940, au cours de ses safaris.

Il fit construire la grande propriété de Sorel-Moussel où il s'installa en compagnie de son épouse.

Grand amateur d'automobiles, il conduit lui-même ses voitures et se rend régulièrement de Sorel à Giverny, où il fait entretenir le jardin et le bassin des nymphéas. Il confie le domaine de Giverny à la garde de sa belle-sœur Blanche Hoschedé-Monet et après le décès de celle-ci, en 1947, à Jean-Pierre Hoschedé, qui meurt lui-même en 1961.

Michel Monet continue ses visites à Giverny et à son cimetière. C'est au retour d'une de ces randonnées que, au volant de sa voiture qu'il conduit malgré une surdité prononcée, il eut cet accident qui lui coûta la vie. Il avait 88 ans.

La visite de sa demeure et l'inventaire qui y fut fait devait révéler, parmi d'innombrables souvenirs de famille, lettres, livres, photographies, beaucoup d'importants tableaux accrochés aux murs des pièces et d'autres entassés dans des réserves. Le tout constituant un ensemble impressionnant, voisinant étrangement avec une importante et un peu hétéroclite, mais par ailleurs fort intéressante collection d'objets d'«Art Africain», de cornes d'animaux, de totem, souvenirs qu'il avait recherché avec passion.

On a dit que ce curieux personnage avait rédigé plusieurs testaments différents ? L'importance et le caractère de la donation justifiait une pareille indécision. Mais si l'on s'interroge sur ce qui a pu orienter son généreux geste vers le Musée Marmottan, il convient de se rappeler que ce Musée, plus particulièrement connu pour les magnifiques collections de l'Epoque Napoléonienne qu'il abrite, possédait déjà le legs Donop de Monchy, lequel comprend des œuvres de célèbres peintres impressionnistes et notamment plusieurs Claude Monet dont le fameux tableau «Impression, soleil Levant» qui avait donné son nom à l'Ecole Impressionniste.

Aussi est-il permis de penser que Michel Monet, désireux de sauver d'une inéluctable dispersion les œuvres gardées par son père, devenues sa propriété, a voulu que celles-ci aillent retrouver, dans le cadre intime du Musée Marmottan, les toiles peintes peu avant sa naissance, au cours de la période la plus difficile et la plus dramatique de la vie de son père et de cette mère qu'il n'a même pas connue. Ces œuvres parmi beaucoup d'autres avaient été achetées par le père de Madame Donop de Monchy, le généreux Docteur roumain Georges de Bellio, celui qui fut toujours là au moment des plus grandes détresses, celui auquel Claude Monet et ses amis ne firent jamais appel en vain.

L'ouverture de l'exposition «Monet et ses amis», marque une date importante dans la vie et la renommée du Musée Marmottan. Si l'Académie des Beaux-Arts n'a pas hésité à consacrer d'importantes ressources pour assurer la présentation du legs Michel Monet dans un cadre digne de cet ensemble exceptionnel, nous devons également exprimer notre profonde reconnaissance au discret mécène qui, par son aide et son expérience, a facilité notre ambitieux dessein.

Du résultat de nos efforts et du succès que nous en espérons, nul doute que Michel Monet, qui à l'époque de sa donation ne pouvait imaginer comment nous pourrions réaliser son vœu, mais nous fit confiance, eût été satisfait.

Jacques CARLU

Membre de l'Institut
Conservateur du Musée Marmottan

CLAUDE MONET

Inventeur de l'art d'aujourd'hui

Beaucoup d'artistes illustres ont le triste privilège d'être à la fois célèbres et méconnus; on cite leur nom en maintes occasions; on se réfère rarement à leur œuvre et, croyant la connaître, on perd l'habitude d'aller la voir. Claude Monet n'échappe pas à cet étrange paradoxe. Très volontiers il est mis au rang des consécrations devenues indiscutables, et relégué dans un passé dont notre présent n'a plus besoin, alors qu'en vérité il a préparé le terrain pour les révolutions dont devait se nourrir l'art moderne, car il fut à l'origine de la plupart d'entre elles, même lorsque les bénéficiaires de ces révolutions ne le savent pas où paraissent ne pas le savoir.

A lui seul il est tout l'impressionnisme, intellectuellement et techniquement, au point que c'est en se référant à son œuvre et à la place prépondérante qu'elle occupe dans le mouvement que d'aucuns prétendent aujourd'hui séparer Cézanne, Degas, voire Renoir du groupe puisque, dit-on, ils n'y appartiennent que très accessoirement, plus en fonction de l'époque que de leur sensibilité ou de leur technique. Il est vrai que l'œuvre de Monet résume et domine toute l'histoire du mouvement et jusqu'à la fin en incarne et conserve l'esprit. Elle est le point de départ (avec le fameux tableau *impression-soleil levant*); le développement (avec la volonté de découvrir la poésie lumineuse de toute chose, fût-ce dans une gare de chemin de fer); l'aboutissement presque abstrait (dans la féerie des nymphéas). Cependant, à travers les étapes de ce cheminement, il ne s'écarte jamais de sa conception initiale des rapports entre l'homme et la nature.

Il est l'exemple le plus accompli de la permanence d'une idée, poursuivie sans défaillance mais aussi sans monotonie. On s'étonne en effet devant l'ensemble réuni en ce musée, de ce double mérite de l'œuvre de Monet: son unité et sa variété, impression que ne sauraient donner avec autant de force et d'évidence les souvenirs laissés par des œuvres dispersées.

Il faut souligner, parallèlement à sa constance, les raisons pour lesquelles il mérite d'être cité en tête des grands inventeurs de l'art d'aujourd'hui, soit qu'on l'ait suivi dans les voies qu'il avait tracées, soit qu'on ait violemment réagi contre son influence.

Il a été le premier à affirmer sa volonté de faire échapper la peinture à l'anecdote, car le seul fait d'intituler un tableau *impression soleil-levant* prouve qu'il ne s'agit pas de représenter un lieu déterminé mais bien d'exprimer une sensation, donc une abstraction. De toute évidence, il a toujours voulu que la technique soit mise au service d'une expression sensible et pour lui, plus que pour nul autre, on peut adopter la définition : l'art est la nature vue à travers un tempérament, mais il a poussé si loin cette primauté du tempérament de l'artiste que la nature est devenue – sans doute à son insu – un élément presque accessoire et semble s'être soumise à sa vision. Oscar Wilde a pu judicieusement écrire qu'après les tableaux de Monet, on n'a plus vu les ponts de Londres de la même façon qu'avant.

Dans sa série sur la Cathédrale de Rouen mais plus encore dans celle des Nymphéas, on a le sentiment que le modèle choisi est plutôt un prétexte qu'un but; un prétexte pour laisser se développer et s'amplifier une domination lyrique de la couleur et de la lumière, on est tenté de dire «un délire» tant on y sent le déchaînement puissant de l'instinct dominé par la passion.

Comment ne pas voir dans cette effervescence une libération de tout académisme et une apologie de l'acte individuel qui ont engendré les audaces du fauvisme et des théories sur la couleur pure. Comment ne pas voir dans cette musicalité des étangs de Giverny qui illuminent les dernières années, une irréalité échappant aux conventions d'espace et de forme qui annonce les libertés de la peinture abstraite. Comment ne pas voir dans l'instabilité des combinaisons de couleurs et dans l'utilisation des phénomènes scientifiques pour des effets visuels un prélude aux recherches de l'op art.

Enfin il est celui qui a fait intervenir dans la peinture, le plus évidemment et de la façon la plus naturelle, une autre dimension – le temps –, montrant dans ses séries, la succession des aspects provisoires du sujet à un moment donné et dans une durée très limitée.

N'est-ce pas la même préoccupation de fixer l'instabilité dans le déroulement du temps que nous retrouvons chez Picasso, certes sous une tout autre forme, avec les compositions accumulées par cet artiste depuis quelques années, et dans lesquelles il utilise à l'extrême la hâte de l'exécution pour conserver intacte la force de l'impulsion primordiale, comme on perçoit dans les coups de pinceau de Claude Monet, la même ambition d'immobiliser la sensation fugitive.

Il n'est donc pas nécessaire de forcer la réalité pour réclamer en faveur de Claude Monet une place de grand découvreur, de grand initiateur et pour le faire sortir de la quasi-solitude dans laquelle les hasards le tiennent aujourd'hui enfermé.

Il est un de ceux – en fait fort rares – pour qui un musée individuel, non seulement constitue un juste hommage mais surtout permet de prendre la juste mesure par un contact direct avec l'œuvre totale.

L'idée qu'on peut s'y faire de Claude Monet est fort à propos complétée par l'évocation de ses amis, Pissarro, Sisley, Renoir, Berthe Morisot, Caillebotte représentés par des portraits ou des œuvres ayant appartenu à l'artiste, reconstituant l'atmosphère sentimentale dans laquelle il a voulu vivre, cette communauté spirituelle et affectueuse qui imprègne d'humanité tout son art et grâce à laquelle, si intéressé qu'ait été l'artiste par les problèmes de la peinture, on ne le voit jamais négliger l'expression de sa sensibilité, ni se laisser scléroser par les théories.

A ce titre, l'exposition permanente des peintures inspirées par les floraisons de l'étang et du jardin de Claude Monet sera d'autant plus émouvante que le public est désormais autorisé à visiter la propriété de Giverny.

Raymond COGNIAT

CATALOGUE

par François DAULTE, Correspondant de l'Institut

avec la collaboration de Claude RICHEBÉ, Archiviste paléographe

SOMMAIRE

CLAUDE MONET

PEINTURES DATÉES

ABRÉVIATIONS

H.	Hauteur.
L.	Longueur.
D.	Diamètre.
No d'inv.	Numéro de l'Inventaire du Musée Marmottan.
Bataille et Wildenstein	Marie-Louise BATAILLE et Georges WILDENSTEIN, *Berthe Morisot, Catalogue des Peintures, Pastels et Aquarelles,* Editions des Beaux-Arts, Paris, 1961.
Berhaut	Marie BERHAUT, *La Vie et l'Œuvre de Gustave Caillebotte,* Editions Wildenstein, Paris, 1951 (suivi du *Catalogue des Peintures et des Pastels de Caillebotte*).
Daulte	François DAULTE, *Alfred Sisley, Catalogue raisonné de l'Œuvre peint*, Editions Durand-Ruel, Lausanne, 1959.
Daulte I	François DAULTE, *Auguste Renoir, Catalogue raisonné de l'Œuvre peint,* t. I, *Les Figures* (1860-1890), Editions Durand-Ruel, Lausanne, 1971.
Daulte II	François DAULTE, *Auguste Renoir, Catalogue raisonné de l'Œuvre peint,* t. II, *Les Figures* (1891-1905), Editions Durand-Ruel, Lausanne, 1972.
Haesaerts	Paul HAESAERTS, *Renoir sculpteur*, Editions Hermès, Bruxelles, 1947.
Maison	K.E. MAISON, *Honoré Daumier, Catalogue raisonné of the Paintings, Watercolours and Drawings,* deux volumes, Arts et Métiers graphiques, Paris, 1968.
Pissarro et Venturi	Ludovic-Rodo PISSARRO et Lionello VENTURI, *Camille Pissarro, son Art, son Œuvre*, Editions Paul Rosenberg, Paris, 1939, deux volumes.
Robaut	Alfred ROBAUT, *L'Œuvre complet d'Eugène Delacroix*, Editions Charavay, Paris, 1885.

1
Camille Monet et sa cousine sur la plage de Trouville (1870).
Huile sur toile, H. 0,38; L. 0,46.
Signé en bas, à gauche: Claude Monet.
Legs Michel Monet – No d'inv.: 5016.

2
Le pont de chemin de fer à Argenteuil (1874).
Huile sur toile, H. 0,14; L. 0,23.
Signé au dos de la toile, du Cachet de l'Atelier: Claude Monet.
Legs Michel Monet – No d'inv.: 5037.

3
Camille Monet sur la plage de Trouville (1870).
Huile sur toile, H. 0,29; L. 0,14.
Signé au dos de la toile, du Cachet de l'Atelier: Claude Monet.
Legs Michel Monet – No d'inv.: 5038.

4
Effet de neige au Soleil couchant (Argenteuil sous la neige) (1874).
Huile sur toile, H. 0,53; L. 0,64.
Signé en bas, à droite: Claude Monet.
Donation Donop de Monchy – No d'inv.: 4019.

5
Impression Soleil Levant (Le Port du Havre par la brume) (1872).
Huile sur toile, H. 0,48; L. 0,63.
Signé en bas, à gauche: Claude Monet, 72.
Coll.: Ernest Hoschedé, Paris (Vente Hoschedé, Paris, 5-6 juin 1878, No 55, adjugé 210 frs au Dr de Bellio);
Dr Georges de Bellio, Paris; E. Donop de Monchy, Paris.
Legs Donop de Monchy – No d'inv.: 4014.

6
Le Train dans la Neige ou La Locomotive (1875).
Huile sur toile, H. 0,59; L. 0,78.
Signé et daté, en bas à droite: Claude Monet, 75.
Legs Donop de Monchy – No d'inv.: 4017.

Le chemin de fer, alors dans toute sa nouveauté, fut l'un des thèmes favoris des impressionnistes. Déjà, en 1873 et en 1874, Claude Monet avait peint différentes vues du pont de chemin de fer à Argenteuil. Mais, c'est en 1875 qu'il représenta pour la première fois un train dans la neige, dont la locomotive est devenue le motif principal du tableau. Dans cette œuvre saisissante de modernité, Monet a su noter avec réalisme les jeux de la vapeur et des fumées qui se perdent dans un ciel plombé.

7
Vue des Tuileries (1876).
Huile sur toile, H. 0,53; L. 0,72.
Signé et daté, en bas à droite: Claude Monet, 76.
Legs Donop de Monchy - No d'inv.: 4016.

8

Le Pont de l'Europe–Gare Saint-Lazare (1877).

Huile sur toile, H. 0,64; L. 0,80.

Signé et daté, en bas à gauche: Claude Monet, 77.

Legs Donop de Monchy – No d'inv.: 4015.

Pendant l'hiver 1876-1877, à la recherche de nouveaux sujets, Monet peignit une série de tableaux d'après la Gare Saint-Lazare, vue à différents moments et sous différents éclairages. Il exposa huit de ces tableaux lors de la troisième Exposition des Impressionnistes, en particulier le Pont de l'Europe *de l'ancienne collection de Bellio. Les panaches de fumée blanche ou bleutée, le mouvement des trains, le jeu des rails et des locomotives, tout concourt à faire de la toile du Musée Marmottan une évocation saisissante de vie et de vérité.*

9
Les Bords de la Seine – Le Printemps à travers les branches (1878).
Huile sur toile, H. 0,52; L. 0,63.
Signé et daté, en bas à droite: Claude Monet, 78.
Legs Donop de Monchy – No d'inv.: 4018.

10
Vétheuil dans le brouillard (1879).
Huile sur toile, H. 0,60; L. 0,71.
Signé et daté, en bas à droite: Claude Monet, 79.
Donation Michel Monet – No d'inv.: 5024.

11
Portrait de Jean Monet (1880).
Huile sur toile, H. 0,47; L. 0,38.
Signé et daté, en bas à droite: Claude Monet, 8t 1880.
Donation Michel Monet – No d'inv.: 5021.

12
Portrait de Michel Monet bébé (1879).
Huile sur toile, H. 0,46; L. 0,37.
Non signé.
Donation Michel Monet – No d'inv.: 5014.

La première femme de Claude Monet, née Camille Doncieux (1847-1879) donna deux fils au grand peintre impressionniste : Jean et Michel Monet. Jean Monet naquit à Paris le 8 août 1867. Il épousa Blanche Hoschedé, cinquième enfant de la seconde femme de son père. Chimiste de profession, Jean Monet mourut prématurément le 9 février 1914 et fut enterré à Giverny.

13
Michel Monet au bonnet à pompon (1880).
Huile sur toile, H. 0,46; L. 0,38.
Non signé.
Donation Michel Monet – No d'inv.: 5018.

14
Michel Monet au chandail bleu (1883).
Huile sur toile, H. 0,46; L. 0,38.
Non signé.
Legs Michel Monet – No d'inv.: 5019.

Second fils de Claude Monet, Michel Monet naquit en mars 1878, à Paris, au No 26 de la rue d'Edimbourg. Il épousa Gabrielle Bonaventure, dont il n'eut pas d'enfants. Il mourut à quatre-vingt-huit ans, d'un accident d'automobile, le 3 février 1966, près du pont de Vernon.

A plusieurs reprises, Claude Monet peignit les portraits de ses deux fils.

15
La plage d'Etretat (vers 1883).
Huile sur toile, H. 0,50; L. 0,61.
Signé en bas, à gauche: Claude Monet.
Legs Michel Monet – No d'inv.: 5010.

16
La Vallée de Sasso (1884).
Huile sur toile, H. 0,65; L. 0,81.
Signé en bas, à gauche du Cachet de l'Atelier: Claude Monet.
Legs Michel Monet – No d'inv.: 5009.

En septembre 1886, Claude Monet s'installa pour quelques semaines à Belle-Ile-en-Mer. Après un bref passage à Palais, l'artiste se logea dans une petite pension de Kervilahouen. C'est là qu'il fit la connaissance de son futur biographe, Gustave Geffroy. Pendant son séjour à Belle-Ile, Monet installa non seulement son chevalet au bord de «la mer sauvage», mais il peignit également un portrait haut en couleurs du pêcheur Poly, qui l'accompagnait dans ses randonnées et lui portait son matériel de travail.

17
Le Château de Dolce Acqua (1884).
Huile sur toile, H. 0,92; L. 0,73.
Signé en bas, à droite du Cachet de l'Atelier: Claude Monet.
Legs Michel Monet – No d'inv.: 5012.

18
Portrait de Poly, pêcheur à Belle-Isle (1886).
Huile sur toile, H. 0,74; L. 0,53.
Signé et daté, en haut à droite: Claude Monet, Belle Isle, 86.
Legs Michel Monet – No d'inv.: 5023. ▶

Claude Monet
Belle isle 86

◄ 19
La Barque (vers 1887).
Huile sur toile, H. 1,46; L. 1,33.
Non signé.
Legs Michel Monet – No d'inv.: 5082.

20
Clématites blanches (vers 1887).
Huile sur toile, H. 0,92; L. 0,52.
Signé en bas, à droite du Cachet de l'Atelier: Claude Monet.
Legs Michel Monet – No d'inv.: 5011.

21
Le Mont Kolsaas (Norvège) (1895).
Huile sur toile, H. 0,65; L. 1,00.
Signé en bas, à droite du Cachet de l'Atelier: Claude Monet.
Legs Michel Monet – No d'inv.: 5100.

22
Le pont du Vervit (Creuse) (1888).
Huile sur toile, H. 0,65; L. 0,92.
Signé et daté en bas, à gauche: Claude Monet, 88.
Legs Michel Monet – No d'inv.: 5026.

23
La Seine à Port-Villez (1894).
Huile sur toile, H. 0,52; L. 0,92.
Signé en bas, à droite du Cachet de l'Atelier: Claude Monet.
Legs Michel Monet – No d'inv.: 5002.

Dans les années qui suivirent son installation à Giverny (dans l'Eure), Monet peignit de nombreux bords de Seine à Vernon, et surtout à Port-Villez, sur la rive gauche du fleuve, en face de sa maison.

24
La Seine à Port-Villez (1894).
Huile sur toile, H. 0,52; L. 0,92.
Non signé.
Legs Michel Monet – No d'inv.: 5025.

25
La plage à Pourville (1897).
Huile sur toile, H. 0,60; L. 0,73.
Signé en bas, à droite: Claude Monet.
Legs Michel Monet – No d'inv.: 5008.

26
Bateaux dans le port d'Honfleur
(vers 1897).
Huile sur toile, H. 0,50; L. 0,61.
Signé en bas, à gauche du Cachet de l'Atelier: Claude Monet.
Legs Michel Monet – No d'inv.: 5022.

27
Charing Cross Bridge (Londres)
(vers 1900).
Huile sur toile, H. 0,60; L. 1,00.
Non signé.
Legs Michel Monet – No d'inv.: 5101.

De 1899 à 1905, Claude Monet fit plusieurs séjours à Londres. Il étudia alors dans une série de toiles les effets du brouillard sur la Tamise et les fumées des locomotives. Parmi les motifs, qui retinrent le plus l'attention du peintre, il faut mentionner en premier lieu les vues du pont de Charing Cross. Du 9 mai au 4 juin 1904, Claude Monet exposa 39 paysages de Londres à la Galerie Durand-Ruel.

28
Charing Cross Bridge (Londres) (1902).
Huile sur toile, H. 0,74; L. 0,92.
Signé et daté, en bas à gauche: Claude Monet, 1902.
Legs Michel Monet – No d'inv.: 5001.

29
Londres, le Parlement (1905).
Huile sur toile, H. 0,81; L. 0,92.
Signé et daté, en bas à droite: Claude Monet, 1905.
Legs Michel Monet – No d'inv.: 5007.

En 1904, Claude Monet peignit à plusieurs reprises le Parlement, de Londres, depuis une fenêtre de l'Hôpital Saint-Paul. Dans la plupart de ces vues, on peut déceler l'influence de Turner.

30
Les Nymphéas (vers 1907).
Huile sur toile, H. 1,06; L. 0,73.
Non signé.
Legs Michel Monet – No d'inv.: 5109. ▶

Sur les bords du bassin aux nymphéas qu'il avait créé dans son jardin de Giverny, Claude Monet planta deux saules pleureurs qui grandirent rapidement et dont les branches tombèrent bientôt en cascade sur l'eau de l'étang. Vers 1919, Monet peignit à plusieurs reprises l'un de ces saules, le plus grand, et s'attacha à montrer les effets de la lumière perçant à travers les feuillages, dont les reflets colorent l'eau de taches vives.

31
Le Saule (vers 1918).
Huile sur toile, H. 2,00; L. 1,80.
Non signé.
Legs Michel Monet – No d'inv.: 5125.

32
Saule pleureur (vers 1919).
Huile sur toile, H. 1,00; L. 1,00.
Non signé.
Legs Michel Monet – No d'inv.: 5078.

33
Saule pleureur (vers 1919).
Huile sur toile, H. 1,00; L. 1,20.
Non signé.
Legs Michel Monet – No d'inv.: 5080.

34
Le pont japonais (1919).
Huile sur toile, H. 0,99; L. 1,99.
Non signé.
Legs Michel Monet – No d'inv.: 5079.

35
Le saule pleureur (1919).
Huile sur toile, H. 1,00; L. 1,00.
Signé en bas, à droite du Cachet de l'Atelier: Claude Monet.
Legs Michel Monet – No d'inv.: 5081.

36
L'allée vers les nymphéas (1920).
Huile sur toile, H. 0,90; L. 0,92.
Non signé.
Legs Michel Monet – No d'inv.: 5088.

37
Saule pleureur (vers 1920).
Huile sur toile, H. 1,16; L. 0,89.
Non signé.
Legs Michel Monet – No d'inv.: 5107.

Au printemps 1883, Claude Monet s'installa à Giverny, près de Vernon (Eure) dans une «maison de paysan». Il devait y demeurer jusqu'à sa mort. Il transforma peu à peu le verger qui s'étendait entre sa demeure et la route d'en bas, le chemin du Roy, en un extraordinaire jardin fleuri. En

38
Maison dans les roses – (Giverny 1922)
Huile sur toile, H. 0,81; L. 0,93.
Non signé.
Legs Michel Monet – No d'inv.: 5087.

39
La maison de Giverny sous les roses (1922).
Huile sur toile, H. 0,89; L. 0,92.
Signé et daté, en bas à gauche: Claude Monet 22.
Legs Michel Monet – No d'inv.: 5108.

1922, Claude Monet peignit une série de tableaux de grand format, représentant sa maison, vue à travers les feuillages et les rosiers. On ne saurait trop admirer ce groupe de peintures, représentant un même thème traité à des heures différentes.

40
La maison de Giverny (vers 1922).
Huile sur toile, H. 0,81; L. 0,92.
Non signé.
Legs Michel Monet – No d'inv.: 5086.

41
La maison de Giverny dans les roses
(vers 1922).
Huile sur toile, H. 0,89; L. 1,00.
Non signé.
Legs Michel Monet – No d'inv.: 5103.

A partir de 1891, Claude Monet créa à Giverny, de l'autre côté de la voie ferrée qui longeait sa propriété, un second jardin, un jardin d'eau. «Il y avait un ruisseau, l'Epte, raconta Monet au soir de sa vie à Marc Elder, qui descend de Gisors...Je lui ai ouvert un fossé de façon à remplir un petit étang creusé dans mon jardin... Le

42
Le pont japonais à Giverny (vers 1923).
Huile sur toile, H. 0,89; L. 1,00.
Non signé.
Legs Michel Monet – No d'inv.: 5094.

43
Le pont japonais à Giverny (vers 1923).
Huile sur toile, H. 0,89; L. 1,00.
Non signé.
Legs Michel Monet – No d'inv.: 5091.

bassin rempli, je songeai à le garnir de plantes. J'ai pris un catalogue et j'ai fait choix au petit bonheur, voilà tout.» Le résultat ce fut une nappe d'eau paisible, entourée de saules, d'arbres et de fleurs, et traversée en son extrémité ouest par un pont japonais, décoré de glycines.

44
Le pont japonais à Giverny (vers 1923).
Huile sur toile, H. 0,89; L. 1,00.
Non signé.
Legs Michel Monet – No d'inv.: 5093.

45
Le pont japonais à Giverny (vers 1923).
Huile sur toile, H. 0,89; L. 1,00.
Non signé.
Legs Michel Monet – No d'inv. 5092.

46
Le pont aux nymphéas (vers 1923).
Huile sur toile, H. 1,00; L. 2,00.
Signé en bas, à droite du Cachet de l'Atelier: Claude Monet.
Legs Michel Monet – No d'inv.: 5077.

47
Le pont japonais à Giverny (vers 1923).
Huile sur toile, H. 0,89; L. 1,16.
Non signé.
Legs Michel Monet – No d'inv.: 5106.

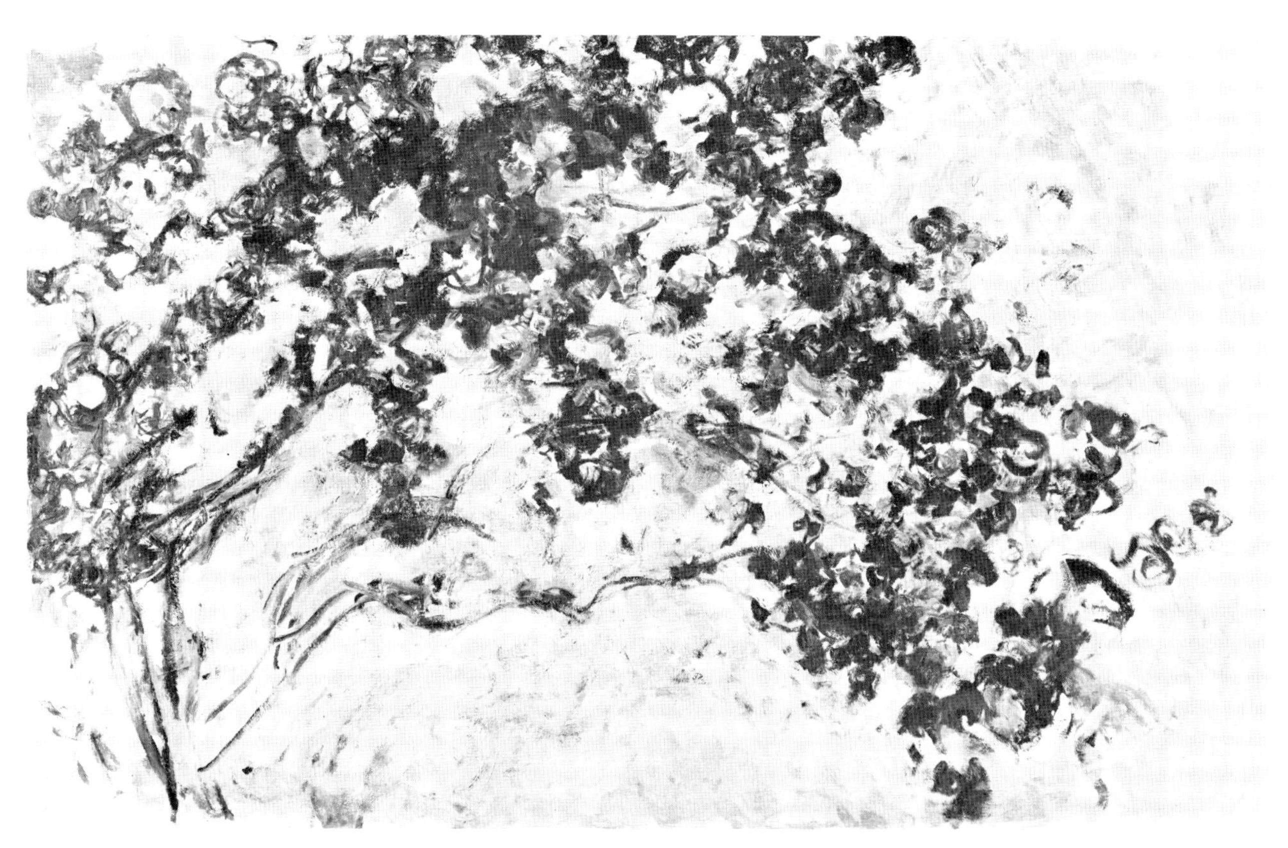

CLAUDE MONET

PEINTURES NON DATÉES

48
Les roses
Huile sur toile, H. 1,30; L. 2,00.
Non signé.
Legs Michel Monet – No d'inv.: 5096.

49
Nymphéas.
Huile sur toile, 1,31; L. 1,55.
Signé en bas, à gauche du Cachet de l'Atelier: Claude Monet.
Legs Michel Monet – No d'inv.: 5099.

Devant le merveilleux paysage aquatique que lui offrait son jardin de Giverny, Claude Monet peignit plusieurs séries de Nymphéas. *A contempler ces études de reflets et de variations colorées, on ne peut s'empêcher de penser à cette strophe de* la sensitive *de Shelley: «Sur la rivière, dont le sein capricieux se parait, sous des rameaux de floraisons en berceaux, d'éclats verts et dorés qui traversaient leur ciel de mille nuances tissés, de larges nénuphars frémissaient; et des fleurs d'eau étoilées passaient comme des lueurs.»*

50
Nymphéas.
Huile sur toile, H. 1,81; L. 2,01.
Au dos sur le châssis, étiquette d'expédition: M. Claude Monet à Giverny. Gare Vernon.
Legs Michel Monet – No d'inv.: 5120.

51
Nymphéas – reflets du saule.
Huile sur toile, H. 2,00; L. 2,01.
Non signé.
Legs Michel Monet – No d'inv.: 5122.

52
Nymphéas.
Huile sur toile, H. 2,00; L. 2,01.
Non signé.
Legs Michel Monet – No d'inv.: 5115.

53
Nymphéas.
Huile sur toile, H. 1,00; L. 3,00.
Non signé.
Legs Michel Monet – No d'inv.: 5118.

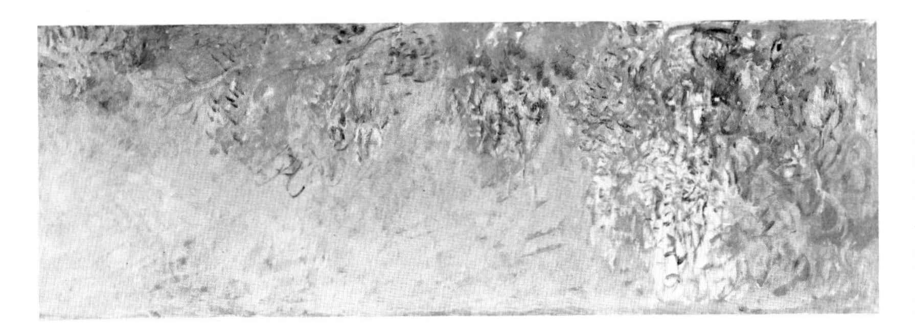

54
Glycines.
Huile sur toile, H. 1,00; L. 3,01.
Au dos sur le châssis, étiquette d'expédition: Monsieur Claude Monet, Gare Vernon – Eure.
Legs Michel Monet – No d'inv.: 5123.

55
Glycines.
Huile sur toile, H. 1,00; L. 3,01.
Non signé.
Legs Michel Monet – No d'inv.: 5124.

A plusieurs reprises, Claude Monet peignit l'allée centrale de son jardin, couverte par des «arceaux formant une véritable voûte de roses du plus bel effet», et «bordée de capucines se traînant sur le gravier, en gracieuses sinuosités». «Le jardin de Monet, selon Jean-Pierre Hoschedé, formait un ensemble unique de verdure et de fleurs, d'arbres et d'arbustes, sans allées tarabiscotées.»

56
L'allée de rosiers à Giverny.
Huile sur toile, H. 0,81; L. 1,00.
Non signé.
Legs Michel Monet – No d'inv.: 5090.

57
L'allée de rosiers à Giverny.
Huile sur toile, H. 0,89; L. 1,00.
Non signé.
Legs Michel Monet – No d'inv.: 5089.

58
L'allée de rosiers à Giverny.
Huile sur toile, H. 0,92; L. 0,89.
Non signé.
Legs Michel Monet – No d'inv.: 5104.

59
Jardin.
Huile sur toile, H. 0,93; L. 0,74.
Non signé.
Legs Michel Monet – No d'inv.: 5102.

60
Nymphéas et Agapanthes.
Huile sur toile, H. 1,40; L. 1,20.
Signé en bas, à gauche du Cachet de l'Atelier: Claude Monet.
Legs Michel Monet – No d'inv.: 5084. ►

61
Iris.
Huile sur toile, H. 1,06; L. 0,73.
Signé au dos, sur le châssis de la griffe de l'Atelier: Claude Monet.
Legs Michel Monet – No d'inv.: 5076.

62
Les Agapanthes.
Huile sur toile, H. 2,00; L. 1,50.
Non signé.
Legs Michel Monet – No d'inv.: 5121.

63
Nymphéas.
Huile sur toile, H. 0,73; L. 1,06.
Non signé.
Legs Michel Monet – No d'inv.: 5105.

Contrairement aux premiers Nymphéas, *les grandes décorations de la fin, représentant des iris, des agapanthes, des fleurs aquatiques, furent peintes par Claude Monet à l'atelier, d'après des études prises sur le motif, et aussi de mémoire: «je peins le jour, déclara-t-il au duc de Trévise, je peins même la nuit, puisque j'en rêve.» Et cette confession rejoint celle que Monet faisait à son fidèle ami, le président Georges Clemenceau: «Tandis que vous cherchez philosophiquement le monde en soi, j'exerce simplement mon effort sur un maximum d'apparences, en étroites corrélations avec les réalités inconnues.»*

64
Fleurs aquatiques.
Huile sur toile, H. 1,50; L. 1,41.
Le châssis porte au dos une étiquette: M. Claude Monet, à Giverny.
Legs Michel Monet, H. 1,50; L. 1,41.

65
Les Iris.
Huile sur toile, H. 1,06; L. 1,55.
Signé en bas, à gauche du Cachet de l'Atelier: Claude Monet.
Legs Michel Monet – No d'inv.: 5083.

66
Les Iris jaunes.
Huile sur toile, H. 1,31; L. 1,52.
Non signé.
Legs Michel Monet – No d'inv.: 5095.

67
Nymphéas.
Huile sur toile, H. 1,30; L. 1,32.
Non signé.
Legs Michel Monet – No d'inv.: 5085.

68
Nymphéas.
Huile sur toile, H. 1,30; L. 1,52.
Signé en bas, à droite du Cachet de l'Atelier: Claude Monet.
Legs Michel Monet – No d'inv.: 5098.

69
Nymphéas.
Huile sur toile, H. 2,00; L. 2,00.
Signé en bas, à gauche du Cachet de l'Atelier: Claude Monet.
Legs Michel Monet – No d'inv.: 5119.

70
Nymphéas.
Huile sur toile, H. 2,00; L. 1,80.
Non signé.
◄ Legs Michel Monet – No d'inv.: 5117.

71
Nymphéas.
Huile sur toile, H. 1,49; L. 2,00.
Signé en bas, à gauche du Cachet de l'Atelier: Claude Monet.
Legs Michel Monet – No d'inv.: 5116.

«J'ai mis du temps à comprendre mes nymphéas, déclara un jour Claude Monet. Je les avais plantés pour le plaisir, je les cultivais sans songer à les peindre... Et puis tout à coup, j'ai eu la révélation des féeries de mon étang. J'ai pris ma palette... Depuis ce temps, je n'ai guère eu d'autre modèle.»

CLAUDE MONET

PASTELS

72
Le pré bordé d'arbres.
Pastel rehaussé de gouache, H. 0,22; L. 0,37.
Signé en bas, à droite: Cl. M.
Legs Michel Monet – No d'inv.: 5003.

73
Michel Monet et Jean-Pierre Hoschedé (1881).
Pastel, H. 0,54; L. 0,73.
Non signé.
Legs Michel Monet – No d'inv.: 5060.

74
La Falaise d'Etretat (vers 1885).
Pastel, H. 0,21; L. 0,37.
Signé en bas, à gauche: Cl. M.
Legs Michel Monet – No d'inv.: 5034.

75
Waterloo Bridge (vers 1900).
Pastel, H. 0,30; L. 0,47.
Non signé.
Legs Michel Monet – No d'inv.: 5048.

LES AMIS DE MONET

PEINTURES ET SCULPTURES

Pour mesurer la richesse et l'ampleur du legs de Michel Monet à l'Académie des Beaux-Arts, il faut ajouter aux œuvres de Claude Monet lui-même, celles qui formaient la collection particulière du Maître de Giverny, et que son fils a toujours conservées avec les plus grands soins. C'est à cette collection, qui était demeurée peu connue jusqu'à ce jour, que sont consacrés le quatrième et le cinquième chapitre du présent catalogue. Mentionnons, entre autres, quatre peintures de Renoir, trois toiles de Gustave Caillebotte, des tableaux de Carolus Duran, Jongkind, Blanche Hoschedé, Berthe Morisot, Gilbert A. Séverac. A cet ensemble exceptionnel, nous avons joint les chefs-d'œuvre impressionnistes de la donation Donop de Monchy, qui faisaient déjà la gloire du Musée Marmottan, en particulier *Au Bal* de Berthe Morisot, *les Boulevards extérieurs* de Pissarro et le *Portrait de Mlle Victorine de Bellio* par Auguste Renoir.

Désormais, les toiles des amis de Monet sont exposées non loin du célèbre paysage *Impression-Soleil levant*, de la collection Georges de Bellio. On sait, en effet, qu'en 1874, les futurs impressionnistes participèrent à une exposition organisée dans les ateliers du photographe Nadar, au boulevard des Capucines. Le public fut profondément choqué par ce qui lui était présenté. Une des toiles qui suscita le plus de quolibets était intitulée *Impression*. Monet y avait représenté le port du Havre sous la brume. Le critique Leroy dans un article du *Charivari* la traita par dérision d'«impressionniste». Le mot fit fortune et connut le succès que l'on sait.

Dès lors, Monet, Pissarro, Sisley, Renoir, Boudin et Berthe Morisot créèrent un groupe cohérent, décidé à défendre les principes d'un art nouveau. Les caractères de cette conception de la peinture, alors révolutionnaire, étaient les suivants: une vision claire, lumineuse et colorée, débarrassée des bitumes et des tons terreux dont avaient abusé les maîtres de Barbizon et les peintres académiques; l'étude attentive des effets de la lumière sur les êtres et sur les choses; la fragmentation de la touche en petits bâtonnets, en virgules expressives, afin de mieux traduire les vibrations de l'atmosphère; le travail sur nature, en «plein air», remplaçant les longues séances à l'atelier; enfin, le choix de sujets empruntés à la vie contemporaine : les spectacles de la rue, les lieux d'élégance et les scènes de plaisir, le théâtre et le cirque, les sports, l'animation des gares, le champ de courses, les travaux du jardin.

A côté des peintures des impressionnistes, une place a été réservée dans l'exposition au buste de *Coco* par Auguste Renoir. On y a joint *le Minotaure* de Rodin, œuvre capitale du grand sculpteur dont la carrière fut parallèle à celle des impressionnistes et qui, comme eux, a su saisir le mouvement fugitif en l'exprimant dans une matière traduisant puissamment la palpitation de la vie.

76
Adolphe CLARY-BAROUX (1865-1933).
Le Pont de Londres (1904).
Huile sur toile, H. 0,42; L. 0,60.
Signé et daté, en bas à droite: Clary-Baroux, 1904.
Donation Donop de Monchy –
No d'inv.: 4038.

77
Adolphe CLARY-BAROUX (1865-1933).
Le Pont de Garennes (Eure).
Huile sur toile, H. 0,47; L. 0,62.
Signé en bas, à droite: Clary-Baroux.
Donation Donop de Monchy –
No d'inv.: 4039.

78
Gustave CAILLEBOTTE
(1848-1894).
La Leçon de piano (1876).
Huile sur toile, H. 0,81 ; L. 0,65.
Non signé.
Berhaut, No 12.
Legs Michel Monet – No d'inv. : 5028.

79
Gustave CAILLEBOTTE (1848-1894).
Chrysanthèmes (1893).
Huile sur toile, H. 0,73; L. 0,60.
Non signé.
Berhaut, No 311.
Legs Michel Monet – No d'inv. : 5061.

80
Gustave CAILLEBOTTE (1848-1894)
Temps de pluie à Paris, Au Carrefour des Rues de Turin et de Moscou (1877).
Etude pour le grand tableau de l'Art Institute de Chicago.
Huile sur toile, H. 0,54; L. 0,65.
Non signé.
Berhaut, No 29.
Legs Michel Monet – No d'inv.: 5062.

81
Henri CUNTZ (1907).
Sous-Bois (1932).
Huile sur toile, H. 0,49; L. 0,64.
Signé et daté, en bas à droite: Cuntz, 32.
Donation Donop de Monchy – No d'inv.: 4037.

82
Honoré DAUMIER (1808-1879).
Moine lisant.
Huile sur bois, H. 0,21; L. 0,16.
Signé en bas, à gauche: h. D.
Maison, p. 439, No 12.
Donation Donop de Monchy – No d'inv.: 4004.

Né le 25 février 1828 à Bucarest, le comte Georges de Bellio se fixa à Paris vers 1851. Il épousa Catherine Rose Guillemet, dont il eut une seule fille Victorine, née en 1863. Cette dernière devint Mme E. Donop de Monchy. C'est elle qui légua au Musée Marmottan la plupart des tableaux qu'elle avait hérités de son père. Médecin homéopathe, Georges de Bellio soigna plusieurs des peintres impressionnistes, en particulier Renoir, Monet, Pissarro et Sisley, dont il devint l'ami et le mécène. Selon le témoignage de Lucien Pissarro, Georges de Bellio «avait une très belle collection de tableaux, il en avait tellement que son appartement était devenu trop petit pour les contenir ; il avait loué une boutique, dans laquelle il avait fait mettre des rayons où ses tableaux étaient entassés. De temps en temps il en sortait quelques-uns qu'il accrochait dans son appartement renouvelant ainsi l'aspect de sa collection.» Georges de Bellio mourut le 26 janvier 1894 dans son appartement de Paris, au No 1 du Boulevard de Clichy.

83
Nicolas-Jan GRIGORESCU (1838-1907).
Portrait de Georges de Bellio (vers 1877).
Huile sur toile, H. 0,71; L. 0,54.
Non signé.
Donation Donop de Monchy – No d'inv.: 4294.

84
Carolus DURAN (1837-1917).
Portrait de Claude Monet (1867).
Huile sur toile, H. 0,46; L. 0,38.
Signé et daté, en bas à droite: Carolus Duran à son ami Monet, Paris, 67.
Legs Michel Monet – No d'inv.: 5114.

85
Armand GUILLAUMIN (1841-1927).
Effet de soleil.
Huile sur toile, H. 0,55; L. 0,68.
Signé en bas, à droite: Guillaumin.
Donation Donop de Monchy – No d'inv.: 4008.

86
Blanche HOSCHEDÉ (1865-1947).
Au bord de l'eau (1929).
Huile sur toile, H. 0,60; L. 0,73.
Signé en bas, à gauche:
Blanche Hoschedé.
Legs Michel Monet – No d'inv.: 5064.

87
Blanche HOSCHEDÉ (1865-1947).
La Maison de Sorel-Moussel.
Huile sur toile, H. 0,54; L. 0,73.
Signé en bas, à droite: Hoschedé.
Legs Michel Monet – No d'inv.: 5063.

Belle-fille et bru de Claude Monet (elle devait épouser son premier fils Jean), Blanche Hoschedé naquit en 1865 et mourut en 1947. Après la fin prématurée de son mari, Blanche Hoschedé se dévoua entièrement à son beau-père, dirigeant sa maison, l'accompagnant dans ses promenades, peignant à ses côtés dans le jardin de Giverny. Pendant la guerre de 1914 à 1918, «on peut dire, écrivit Gustave Geffroy, que Monet a trouvé le courage de survivre et la force de travailler, par la présence de celle qui devint sa fille dévouée, lui gardant sa maison intacte, l'encourageant à reprendre ses outils de peintre, recevant ses amis comme le faisait autrefois sa mère». Si Blanche Hoschedé n'a pas toujours su, dans ses toiles, s'évader de la forte emprise de Claude Monet, elle a laissé, cependant, de nombreuses peintures qui témoignent de son attachante personnalité.

Jongkind
Avignon 30 sept 1873

◀ 88
Johan-Barthold JONGKIND (1819-1891).
Avignon (1873).
Huile sur toile, H. 0,46; L. 0,33.
Signé en bas, à gauche: Jongkind.
Inscription et date, en bas à droite: Avignon 30 sept. 1873.
Legs Michel Monet – No d'inv.: 5015.

Bien qu'il fût hollandais de naissance, Jongkind a passé la plus grande partie de sa vie aux environs de Paris et en Normandie, puis dans l'Isère, à la Côte-Saint-André, et aussi en Provence. Le don d'observer rapidement, de résumer en quelques traits la structure d'un site, caractérise la vue d'Avignon du Musée Marmottan, qui est d'une étonnante liberté d'écriture.

89
Sir Thomas LAWRENCE (1769-1830).
Jeune femme assise.
Probablement l'une des trois nièces de Wellington, dont Lawrence fit le portrait.
Huile sur toile, H. 0,26; L. 0,20.
Non signé.
Donation Donop de Monchy,
No d'inv.: 4012.

90
Charles LHUILLIER (1824-1898).
Le Militaire (1860).
C'est sans doute le portrait de Claude Monet, lors de son service militaire, en Algérie, à l'automne 1860.
Huile sur toile, H. 0,37; L. 0,24.
Signé en bas, à gauche: Ch. Lhuillier.
Legs Michel Monet – No d'inv.: 5041.

Peindre, c'était pour Berthe Morisot arrêter le temps dans sa fuite inexorable, saisir l'instant dans sa grâce fugitive, selon l'idéal de l'impressionnisme, et évoquer les minutes heureuses. *« Mon ambition, notait l'artiste dans un de ses carnets, se borne à vouloir fixer quelque chose de ce qui passe, oh quelque chose! la moindre des choses... une attitude de Julie, un sourire, une fleur, un fruit, une branche d'arbre.» Dans ce discret chef-d'œuvre* Au Bal, *Berthe Morisot a surpris une jeune femme en robe du soir, en train de rêver, l'éventail à la main. L'expression tendre et pensive du modèle, sa pose gracieusement abandonnée, composent avec la jardinière de fleurs dans le fond du tableau, une scène charmante de naturel.*

91
Berthe MORISOT (1841-1895).
Jeune fille au bal (Au bal) 1875.
Huile sur toile, H. 0,62; L. 0,52.
Signé en bas, à droite: Berthe Morisot.
Bataille et Wildenstein, No 60.
Donation Donop de Monchy,
No d'inv.: 4020.

92
Berthe MORISOT (1841-1895).
Julie Manet et son lévrier Laerte
Huile sur toile, H. 0,73; L. 0,80.
Non signé.
Bataille et Wildenstein, No 335.
Legs Michel Monet – No d'inv.: 5027.

93
NARUSË
Portrait de Monet
Huile sur toile, H. 0,32; L. 0,18.
Non signé.
Legs Michel Monet – No d'inv.: 5045.

94
Ernest QUOST (1844-1931).
Fleurs (Jonquilles et Giroflées).
Huile sur toile, H. 0,45; L. 0,54.
Signé en bas, à droite: E. Quost.
Donation Donop de Monchy – No d'inv.: 4040.

95
Camille PISSARRO (1831-1903).
Les Boulevards extérieurs – Effet de neige
(1879).
On aperçoit les toits du Collège Rollin
(actuel Lycée J. Decour).
Huile sur toile, H. 0,54; L. 0,65.
Signé et daté, en bas à gauche:
Pissarro, 79.
Pissarro et Venturi, No 475.
Donation Donop de Monchy – No
d'inv.: 4021.

En 1879, deux motifs attirèrent particulièrement Pissarro : les routes en perspective qui lui permettaient d'exprimer sa passion de l'espace, et les paysages de neige où quelques arbres dépouillés, se détachant sur le sol blanc et le gris du ciel, suffisent à rendre la tristesse, la désolation de la campagne engourdie. La Vue des Boulevards extérieurs, *qui combine ces deux thèmes, est sans doute l'une des œuvres les plus rares et les plus fortes de cette époque.*

96
Auguste RENOIR (1841-1919).
Portrait de Mlle Victorine de Bellio (1892).
Huile sur toile, H. 0,55; L. 0,46.
Signé et daté, en bas à gauche: Renoir, 92.
Daulte II, No 732.
Donation Donop de Monchy – No d'inv.: 4024.

Fille unique du Dr Georges de Bellio et de Catherine Rose Guillemet, Victorine de Bellio naquit à Paris, en 1863, rue Grange Batelière, et mourut à Paris, en 1957. Elle épousa en 1893 M. E. Donop de Monchy. Sans postérité, Mme Donop de Monchy fit don au Musée Marmottan de la belle collection de tableaux anciens et impressionnistes, qu'elle avait héritée de son père, le Dr de Bellio. Peu avant son mariage, en 1892, Renoir a fait un portrait poussé de la jeune Victorine, qui témoigne à la fois de la sensibilité du peintre et de ses dons de psychologue.

Peu après son entrée à l'Atelier Gleyre, en octobre 1862, Renoir se lia avec Claude Monet, qui suivait les mêmes cours. Dès lors, les carrières des deux grands artistes se trouvèrent étroitement liées. Travaillant souvent côte à côte, voyageant ensemble à Chailly-en-Bière, à Argenteuil, à Chatou, sur la Côte d'Azur, en Italie, séjournant l'un chez l'autre, participant aux mêmes ventes et aux mêmes expositions, les deux peintres connurent, jusqu'en 1890, à peu près les mêmes difficultés et les mêmes succès. C'est en 1872, pendant un séjour chez son ami, que Renoir peignit les deux beaux portraits de Claude Monet et de sa femme, née Camille Doncieux.

97
Auguste RENOIR (1841-1919).
Portrait de Mme Claude Monet (1872).
Huile sur toile, H. 0,61; L. 0,50.
Signé en bas, à gauche: Renoir.
Daulte I, No 86.
Legs Michel Monet – No d'inv.: 5013b.

98
Auguste RENOIR (1841-1919).
Portrait de Claude Monet (1872).
Huile sur toile, H. 0,61; L. 0,50.
Signé en bas à droite: A. Renoir.
Daulte I, No 85.
Legs Michel Monet – No d'inv.: 5013a. ▶

Renoir.

100
Auguste RENOIR (1841-1919).
Portrait de Claude Monet (1875).
Huile sur toile, H. 0,19; L. 0,11.
Signé vers le bas, à droite: Renoir.
Daulte I, No 130.
Legs Michel Monet – No d'inv.: 5031.

99
Auguste RENOIR (1841-1919).
Baigneuse assise sur un rocher (1882).
Huile sur toile, H. 0,54; L. 0,39.
Signé en bas, à gauche: Renoir.
Daulte I, No 396.
◄ Legs Michel Monet – No d'inv.: 5017.

101
Gilbert A. SÉVERAC
Portrait de Claude Monet (1865).
Huile sur toile, H. 0,40; L. 0,32.
Signé au milieu, à gauche: Séverac, 1865.
Legs Michel Monet – No d'Inv.: 5065.

102
Alfred SISLEY (1839-1899).
Printemps aux environs de Paris – Pommiers en fleurs (1879).
Huile sur toile, H. 0,45; L. 0,61.
Signé en bas, à droite: Sisley.
Daulte, No 305.
Donation Donop de Monchy,
No d'inv.: 4024.

En peignant aux environs de Sèvres des pommiers en fleurs et une maison perdue au milieu des champs, Sisley s'est efforcé de marquer les proportions de la nature. C'est qu'au contraire des purs impressionnistes, Sisley a vu les paysages qui l'entouraient, plus en profondeur qu'en surface. Il a toujours considéré que l'expression spatiale était l'essentiel du programme pictural, la part qui lui appartient en propre et qui ne doit point lui être ôtée.

103
ÉCOLE FRANÇAISE
du XIXe SIÈCLE
Jeune fille au bonnet.
Huile sur toile, H. 0,40; L. 0,32.
Non signé.
Donation Donop de Monchy,
No d'inv.: 4023.

104
ÉCOLE FRANÇAISE
du XIXe SIÈCLE
Militaire assis.
Huile sur toile, H. 0,46; L. 0,38.
Non signé.
Legs Michel Monet – No d'inv.: 5075.

105
Auguste RODIN (1840-1917).
Faune et Nymphe ou *Le Minotaure* (vers 1886).
Plâtre, H. 0,34; L. 0,25.
Non signé.
Legs Michel Monet – No d'inv.: 5127.

106
Auguste RENOIR (1841-1919).
Portrait de Coco (Claude Renoir) 1907.
Médaillon en plâtre, D. 0,21.
Non signé.
Haesaerts, No 1.
Legs Michel Monet – No d'inv.: 5112.

LES AMIS DE MONET

AQUARELLES ET PASTELS

La collection privée de Claude Monet, léguée par son fils Michel au Musée Marmottan, comprend non seulement plusieurs peintures des Maîtres de l'Impressionnisme, mais aussi un admirable ensemble d'aquarelles, de pastels et de lavis d'Eugène Boudin, de Jules Chéret, de Delacroix, de Constantin Guys, de Jongkind, de Berthe Morisot, de Renoir et de Paul Signac.

Avec une singulière prescience du jugement de l'avenir, Monet avait réuni des œuvres des meilleurs aquarellistes des XIXe et XXe siècles, pour qui la peinture à l'eau fut par excellence un mode d'expression personnel et intime, leur permettant de donner libre cours à leur génie de tachistes, sensible aux moindres nuances de l'atmosphère. Le peintre de Giverny avait su reconnaître, en particulier, le talent exceptionnel de ce reporter de la vie moderne, Constantin Guys, qui n'eut jamais recours aux prestiges de l'huile, car l'encre de Chine, la sépia et l'aquarelle lui suffisaient pour se dire complètement.

Sans chercher à caractériser chacune des aquarelles, reproduites dans le présent catalogue, bornons-nous à formuler quelques remarques d'ordre général sur la peinture à l'eau et sur les moyens de s'en servir. Avec une simple feuille de papier, un crayon et une petite boîte de couleurs, l'artiste peut reconstituer tous les aspects de l'univers. Procédé rapide et fécond, l'aquarelle permet aussi bien de matérialiser une vision intérieure que de saisir les changements presque instantanés d'un paysage, qui ne sauraient être fixés par les moyens trop lents de la peinture à l'huile.

Comme l'a bien montré Paul Signac dans une page inoubliable de son essai sur Jongkind, l'aquarelle sert certaines ambitions de l'artiste que la peinture à l'atelier ne permet pas de combler. «L'aquarelliste, écrit Signac, peut noter tout ce qui passe, tout ce qui vient introduire la vie et la variété dans le motif permanent. Son matériel simplifié lui permet de triompher des éléments et de noter, même dans les conditions extérieures les plus défavorables, les effets les plus fugitifs.»

Que de choses il y aurait à dire sur l'emploi de l'aquarelle. Est-il nécessaire de faire remarquer que la prédilection d'un artiste pour ce procédé – qui n'est au fond qu'un moyen d'expression – révèle ses tendances profondes. Ce n'est pas un effet du hasard, si Boudin, Jongkind ou Signac juxtaposent leurs touches de couleurs en laissant jouer entre elles le blanc du papier. Pour eux, ce blanc ménagé est l'une des conditions essentielles, pour ne pas dire la clef de l'aquarelle. Sans recouvrir toute leur feuille, ils suggèrent par quelques teintes, justes de rapport et de qualité, des équivalences des spectacles qui les ont charmés. Ce que les purs aquarellistes recherchent dans la peinture à l'eau, c'est une transparence, une fraîcheur et une limpidité lumineuse que la peinture à l'huile ne leur permet pas toujours d'obtenir.

Ne nous y trompons pas, cependant! Malgré l'apparente simplicité d'une technique, qui recourt au matériel le plus léger et le moins encombrant, l'aquarelle n'est pas un art de débutant. Longtemps sans doute, elle a été la victime de préjugés défavorables. «Elle passait, écrit Louis Réau, pour un divertissement facile à la portée des amateurs et des dilettantes, pour un art d'agrément à l'usage des pensionnats de jeunes filles, auxquel les professionnels, les peintres de métier n'accordaient qu'une attention assez dédaigneuse». En réalité, c'est un domaine de la peinture qui ne supporte pas la médiocrité. Il exige une acuité de l'œil, une sûreté de la main, une pratique quasi journalière du lavis et surtout une rapidité d'exécution, dont seuls les grands artistes sont capables.

107
Eugène BOUDIN (1824-1898).
Crinolines sur la plage.
Aquarelle, H. 0,17; L. 0,27.
Signé en bas, à droite: E. B.
Legs Michel Monet – No d'inv.: 5057.

108
Eugène BOUDIN (1824-1898).
Les barques échouées.
Aquarelle et dessin à la mine de plomb,
H. 0,16; L. 0,24.
Signé en bas, à droite: E. B.
Legs Michel Monet – No d'inv.: 5047.

109
Eugène BOUDIN (1824-1898).
Barque de pêcheur sur la plage.
Aquarelle et dessin à la mine de plomb,
H. 0,16; L. 0,27.
Signé en bas, à droite: E.B.
Legs Michel Monet – No d'inv.: 5054.

110
Eugène BOUDIN (1824-1898).
Barques à voiles en mer.
Lavis et dessin à la mine de plomb,
H. 0,12; L. 0,18.
Signé en bas, à droite du cachet de l'Atelier: E.B.
Legs Michel Monet – No d'inv.: 5055.

111
Eugène BOUDIN (1824-1898).
Sur la plage (1863).
Aquarelle et pastel, H. 0,19; L. 0,30.
Signé et daté, en bas à droite:
E. Boudin, 63.
Legs Michel Monet – No d'inv.: 5035.

112
Eugène BOUDIN (1824-1898).
Barques et Pêcheurs.
Aquarelle, H. 0,12; L. 0,18.
Signé en bas, à droite du cachet de l'Atelier: E. B.
Legs Michel Monet – No d'inv.: 5056.

Plus encore que Boudin, Delacroix fut attiré par la technique de l'aquarelle, qui se prête admirablement à la notation rapide, et dont il appréciait à la fois la légèreté et la transparence. Durant toute sa carrière, mais surtout après son voyage à Londres, en 1825, Delacroix se montra un merveilleux tachiste, sensible aux moindres nuances de l'atmosphère et devançant d'un quart de siècle les peintres du plein air. Parmi toutes les aquarelles de Delacroix, il est juste de faire une place spéciale à celles que l'artiste ramena de ses voyages à Dieppe et à Etretat, qui sont d'une étonnante liberté d'écriture.

113
Jules CHÉRET (1836-1932).
La Parisienne
Aquarelle et gouache, H. 1,24; L. 0,88.
Signé en bas, à droite: A mon cher Claude Monet, son ami et admirateur. Jules Chéret.
Legs Michel Monet – No d'inv.: 5113.

114
Eugène DELACROIX (1798-1863).
Falaises près de Dieppe (vers 1852).
Aquarelle, H. 0,20; L. 0,31.
Signé en bas, à droite du Cachet de l'Atelier: E. D.
Robaut, No 1775.
Legs Michel Monet – No d'inv.: 5052.

115
Eugène DELACROIX (1798-1863).
Etretat, La Roche percée
Aquarelle et gouache, H. 0,15; L. 0,20.
Signé en bas, à gauche du Cachet de l'Atelier: E. D.
Robaut, No 1684.
Legs Michel Monet – No d'inv.: 5053.

116
Constantin GUYS (1802-1892).
Les Lorettes.
Lavis, H. 0,21; L. 0,19.
Non signé.
Legs Michel Monet – No d'inv.: 5030.

117
Constantin GUYS (1802-1892).
La Taverne – Filles et marins.
Lavis à l'encre de Chine, H. 0,14; L. 0,18.
Non signé.
Legs Michel Monet – No d'inv.: 5071.

118
Constantin GUYS (1802-1892).
Valseuses au Cabaret.
Crayon et aquarelle, H. 0,12; L. 0,21.
Non signé.
Legs Michel Monet – No d'inv.: 5072.

119
Constantin GUYS (1802-1892).
En Soirée.
Lavis à l'encre de Chine, H. 0,21; L. 0,29.
Non signé.
Legs Michel Monet – No d'inv.: 5069.

La vie moderne – comme spectacle et comme poésie – nous la trouvons dans les aquarelles et les lavis de Constantin Guys. Peintre des femmes et des filles, cet illustrateur génial des modes de son temps, a su traduire les attitudes éphémères et les robes à crinolines des beautés du Second Empire, qui passent dans le frémissement du soleil comme un songe dans la poussière. Qu'il esquisse rapidement certains mouvements de foule devant l'Opéra ou qu'il représente des valseuses dans un cabaret, Guys, note Baudelaire, «commence par de légères indications au crayon, qui ne marquent guère que la place que les objets doivent tenir dans l'espace. Les plans principaux sont indiqués ensuite par des teintes au lavis, des masses vaguement, légèrement colorées d'abord, mais reprises plus tard et chargées successivement de couleurs plus intenses. Au dernier moment, le contour des objets est définitivement cerné par l'encre.»

120
Constantin GUYS (1802-1892).
La Dame en noir aux gants blancs
Dessin et lavis à l'encre de Chine, H. 0,34; L. 0,21.
Non signé.
Legs Michel Monet, No d'inv.: 5051.

121
Constantin GUYS (1802-1892).
L'Elégante.
Lavis et aquarelle, H. 0,27; L. 0,18.
Non signé.
Legs Michel Monet – No d'inv. : 5042.

122
Constantin GUYS (1802-1892).
Portrait de Femme à mi-corps.
Lavis à l'encre de Chine, H. 0,31;
L. 0,22.
Non signé.
Legs Michel Monet – No d'inv.: 5073.

123
Johan-Barthold JONGKIND
(1819-1891).
La Route bordée d'arbres (1880).
Aquarelle, H. 0,15; L. 0,24.
Signé en bas, à gauche: Jongkind.
Daté en bas, à droite: 5 juillet 1880.
Legs Michel Monet – No d'inv.: 5005.

124
Johan-Barthold JONGKIND
(1819-1891).
Port-Vendres (1880).
Aquarelle, H. 0,17; L. 0,24.
Signé en bas, à droite: Jongkind.
Daté en bas, à gauche: Port-Vendres, oct. 1880.
Legs Michel Monet – No d'inv.: 5004.

125
Berthe MORISOT (1841-1895).
Fillette au panier (1891).
Pastel, H. 0,58; L. 0,41.
Signé en bas, à droite: B. Morisot.
Bataille et Wildenstein, No 582.
Legs Michel Monet – No d'inv.: 5039.

126
Auguste RENOIR (1841-1919).
Portrait de Claude Monet, debout (1875).
Etude préparatoire pour le Portrait de *Monet peignant dans le jardin de Renoir,* aujourd'hui au Wadsworth Atheneum Museum, à Hartford. (cf. Daulte I, No 131.)
Pastel, H. 0,44; L. 0,30.
Non signé.
Legs Michel Monet – No d'inv.: 5066.

Signac n'a cessé de naviguer depuis l'époque de sa jeunesse, où Caillebotte lui apprit les secrets de la voile, jusqu'à sa dernière croisière en Corse, au printemps 1935, peu avant sa mort. C'est pourquoi, dans un grand nombre de ses aquarelles, Signac apparaît vraiment comme «le peintre de la mer... le peintre des ports d'où l'homme regarde vers le large, le peintre des bateaux dont les voiles ont les mille couleurs de l'espoir» (Louis Aragon).

127
Paul SIGNAC (1863-1935).
Venise Les Gondoles (1908).
Aquarelle, H. 0,19; L. 0,25.
Signé en bas, à gauche: P. Signac.
Daté en bas, à droite: Venise 1908.
Legs Michel Monet – No d'inv.: 5074.

128
Paul SIGNAC (1863-1935).
Le départ des Trois-Mâts à Croix-de-Vie (Vendée).
Aquarelle, H. 0,28; L. 0,38.
Signé en bas, à droite: P. Signac.
Croix.
Inscription et date, en bas à gauche:
.......Partance.... 28 juin.
Legs Michel Monet – No d'inv.: 5032.

129
Paul SIGNAC (1863-1935).
Rouen, La Cathédrale.
Aquarelle, H. 0,29; L. 0,40.
Signé en bas, à droite: P. Signac, Rouen.
Legs Michel Monet – No d'inv.: 5058.

130
Paul SIGNAC (1863-1935).
Le Pont Valentré à Cahors.
Aquarelle, H. 0,26; L. 0,38.
Signé en bas, à droite: P. Signac, Cahors.
Legs Michel Monet – No d'inv.: 5046.

Achevé d'imprimer sur les presses
de l'Imprimerie Paul Attinger,
Neuchâtel, le 28 mai 1971.
Maquette : André Rosselet, Auvernier.
Photographies : Maurice Routhier,
Paris.
Photolithos noires et couleurs : Atesa,
Genève.
Reliure : Eugène Clerc, Lausanne.

Imprimé en Suisse